冰

節日故事

端午

鍾馗捉鬼

目次
contents

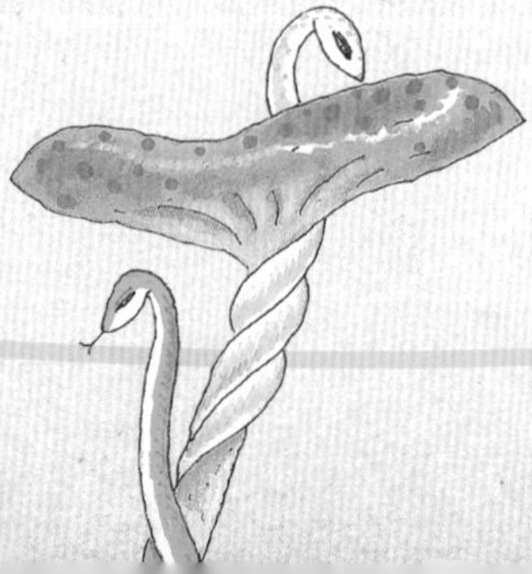

●親子時間●

端午節的由來及民間習俗

撰文／李豐楙
國立政治大學宗教研究所教授．中央研究院中國文哲研究所研究員

在二十四節氣中「芒種」前後的節日，以端午節最有名，也是一年的三大節之一。「端」是「初」的意思，所以農曆五月初五這天，被稱為「端五」，後來又被稱為「端午」、「端陽」；又因為月日重疊為五，也稱為「重五」。臺灣南部習慣稱「五月節」，北部則叫作「五日節」。

❖百毒之月

五月時節，氣候即將轉為燠熱，農田裡的稻穀已經吐穗結實了。農諺說：「四月芒種雨，五月無乾土，六月火燒埔。」這句話的由來是，因為芒種前後是梅雨季節，雨季常常會持續到五月，所以土壤溼潤，有利於草木滋長，此時蚊蟲也會大肆活動。

古人說五月是「百毒之月」，就是指潮溼容易滋生各種毒蟲，所以要趕快清理環境，並衍生出划龍船等驅邪活動。

划龍舟競賽

早期的囝仔歌（即童謠）唱：「五月五，龍船鼓，滿街路。」端午節划龍舟的習俗，保存至今已成功轉型為民俗技藝表演。端午節的龍舟競渡，原本是為了清理雜草叢生的水道，後來傳說是江南人為了紀念屈原，因而划龍舟投粽子。其實濱水地區划龍舟還有一個意義——傳說龍是水中的靈物，可以驅逐水裡的壞東西。龍舟競賽時大家喊聲震天，鑼鼓、鞭炮齊放，具有競技和避邪的雙重作用。

臺灣有許多地方都會舉辦龍舟競賽，例如臺北新店溪、臺南運河、高雄仁愛河、宜蘭冬山河和二龍溪等。龍舟的龍頭造型，都是經過開光點睛後才下水，船員的划船動作和奪標方式，都和西洋式的划船比賽不大相同，具有民族競技的特色。

懸艾草　戴香包

每年到端午前後，家家戶戶至今仍會在門上懸艾草。從前人家到野外採摘菖蒲、艾草或榕枝，現在市場上則有一串串現成的可以購買，相當方便。另外一個應景的商品就是各式各樣的香包，也有人稱為「香馨」，是將色布包著香料、艾草等，縫製成掛飾，既美觀又可驅蚊，造型可愛多變化，也受到

小朋友的喜愛。

為了辟除毒月的毒蟲，端午節採用的飾物都有傳統的用意：菖蒲的形狀像劍，聞起來辛味較重；艾草則有香氣，也可燒炙驅蚊；雄黃灑在屋內外，可以辟除蛇、蠍，這也和民間流傳的「白蛇現形」故事有關。

立雞蛋　喝午時水

在端午的各種習俗活動中，最引起科學家興趣的，就是午時立雞蛋。據說端午節中午，因為地心引力特別強，平常不容易豎立的雞蛋，也能輕易的立起來。每年科博館都會舉辦端午立蛋活動，現場

有各種不同的蛋，如生蛋、熟蛋、鹹蛋、皮蛋等，讓大家實驗哪種雞蛋最容易豎立，是一項熱門的親子活動。

另外，民間還流傳正午時分到河中或井中汲水的習俗，這種水稱為「午時水」，相傳午時水不容易腐敗，可以保存較久。古書記載：「五月五日午時取井沐浴，一年疫氣不侵。」午時水被認為能洗去不淨，驅邪辟煞。民間至今仍有人汲取正午的井水，分裝小瓶以備不時之需，就是端午習俗的遺存。

說到端午，一定會聯想到粽子。臺灣雖然不大，但是南、北的包法就不一樣，南部使用粽葉包生米煮熟，北部則是將米炒熟，再用葉子包來蒸，兩種口感不大一樣。現在有些家庭還會在家裡包粽子，蒸煮時飄出粽葉、糯米及各種食材的香氣，增添了節日的味道。這樣的粽香和平常到市場或小吃店買來吃的粽子比，多了應景的氣氛。

近年，國人盛行買彩券，粽子也被賦予「包中」的新意。學子應考前包粽子，取意「包中」，也是希望求得好彩頭。

1

鍾馗捉鬼

張劍鳴｜文
洪義男｜圖

閻王的審判

據說地底下有一個地方叫酆都，地上的人和動物，最後都會到酆都接受閻王的審判。

好人，閻王就讓他上天當神仙，或留下來幫他辦事；壞人，閻王就把他關在酆都的監牢裡受處罰。

酆都裡的人和動物雖然保有人的長相和模樣，但他們只有形狀，也不能過人過的生活，所以叫做鬼。

閻王是天上的玉皇大帝派到酆都的神。他最討厭壞人，想把地上的壞人都捉到酆都城裡關起來。可是按規定，他只能捉該死的壞人，不能捉不該死的壞人，所以他常常為了不能除掉地上的壞人而心煩。

轉輪臺

驅魔大神

一天，閻王又在心煩時，小鬼進來報告，有一個名叫鍾馗的人想求見。

「太好了！」閻王高興的說，「快，快請鍾先生進來！」

鍾馗是誰？原來他是唐朝人。有一年，他參加國家舉辦的考試，考中了狀元，可是，後來參加唐朝天子面試時，天子卻嫌他長得又醜又嚇人，加上宰相也嫌棄他的長相，決定取消他的狀元資格。

鍾馗因為氣憤，死了。唐朝天子知道後，非常懊悔，封他做「驅魔大神」，擔任消滅妖魔鬼怪的工作。

鍾馗得到天子的任命，知道酆都的鬼怪最多，想來這裡幫閻王除鬼。

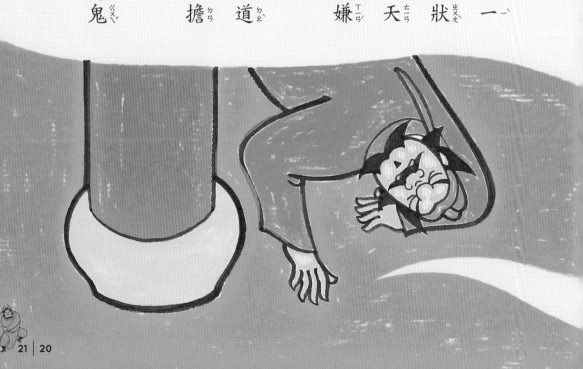

閻王也明白鍾馗的來意，見了面就馬上跟他說：

「你來得正好！我正想找人幫我捉地上的鬼呢！」

「地上也有鬼？」鍾馗覺得奇怪。

「地上不但有鬼，還多得不得了。像搗亂鬼、冒失鬼、齷齪鬼、騙人鬼、耍賴鬼、坑人鬼……都是冒充人的鬼。我早就想把除掉他們，可是他們還活著，不歸我管，我沒辦法依法處罰他們，只好任他們繼續在地上冒充人。」閻王接著問鍾馗：「你願意幫我除掉這些鬼嗎？」

鍾馗的個性一向正直，二話不說就答應了。

閻王擔心鍾馗一個人除不了這些鬼，派了一個名叫「含冤」、一個名叫「負屈」的大將給他，還賜給他一匹叫「白澤」的駿馬當坐騎，並且指派三百名士兵聽他指揮。

鍾馗率領兵馬浩浩蕩蕩的離開酆都，在城外的一座橋上，遇見一個蝙蝠變成的小鬼。

蝙蝠小鬼很清楚地上哪裡有鬼怪，鍾馗便收服他做嚮導，要他在隊伍前方帶路。

蝙蝠小鬼引導鍾馗捉了一個搗亂鬼，一個纏人鬼，一個坑人鬼後，帶大家來到一條大河前。

口水河 無恥山

這條河看起來很不一樣，河裡全是白泡沫，到處不停的冒泡。河水流動的聲音也很奇怪，好像是人在吵架，或者罵街。

再仔細看，那些飛騰撲濺的泡沫裡，似乎有許多人影，有的正伸手指指點點；有的在踩腳；有的則正晃著拳頭。

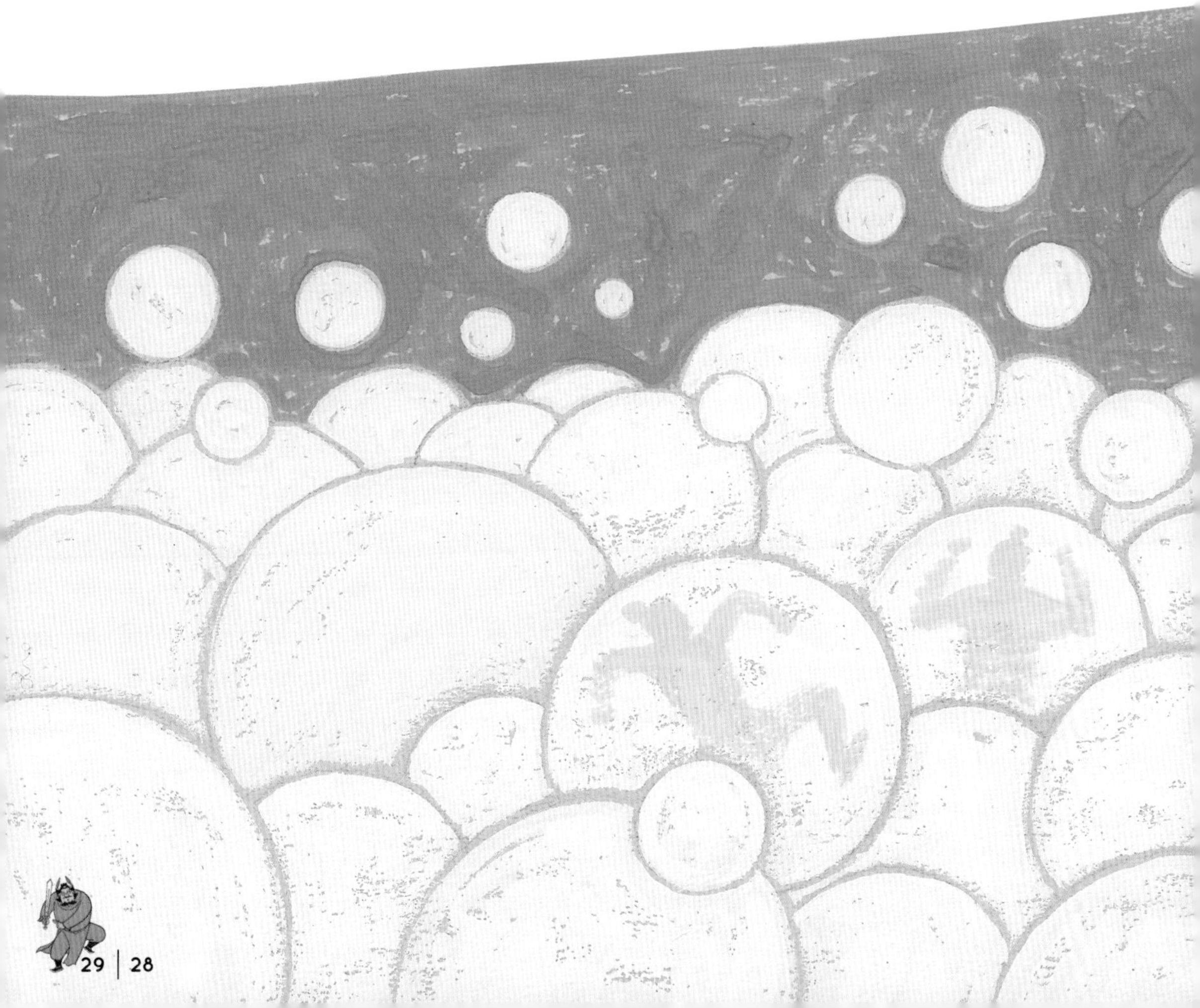

河對面有一座山。那座山全是用「不誠石」和「不羞岩」堆成的，長滿了「鬼眼松」和「不清柏」。

那些不誠石看起來像石頭，但其實是空心的，要是有人誤踩上去，肯定摔得鼻青臉腫。

那些不羞岩，有的看起來像老虎趴在地上，翹著屁股等著挨打；有的則像小狗，搖著尾巴求人乞憐。

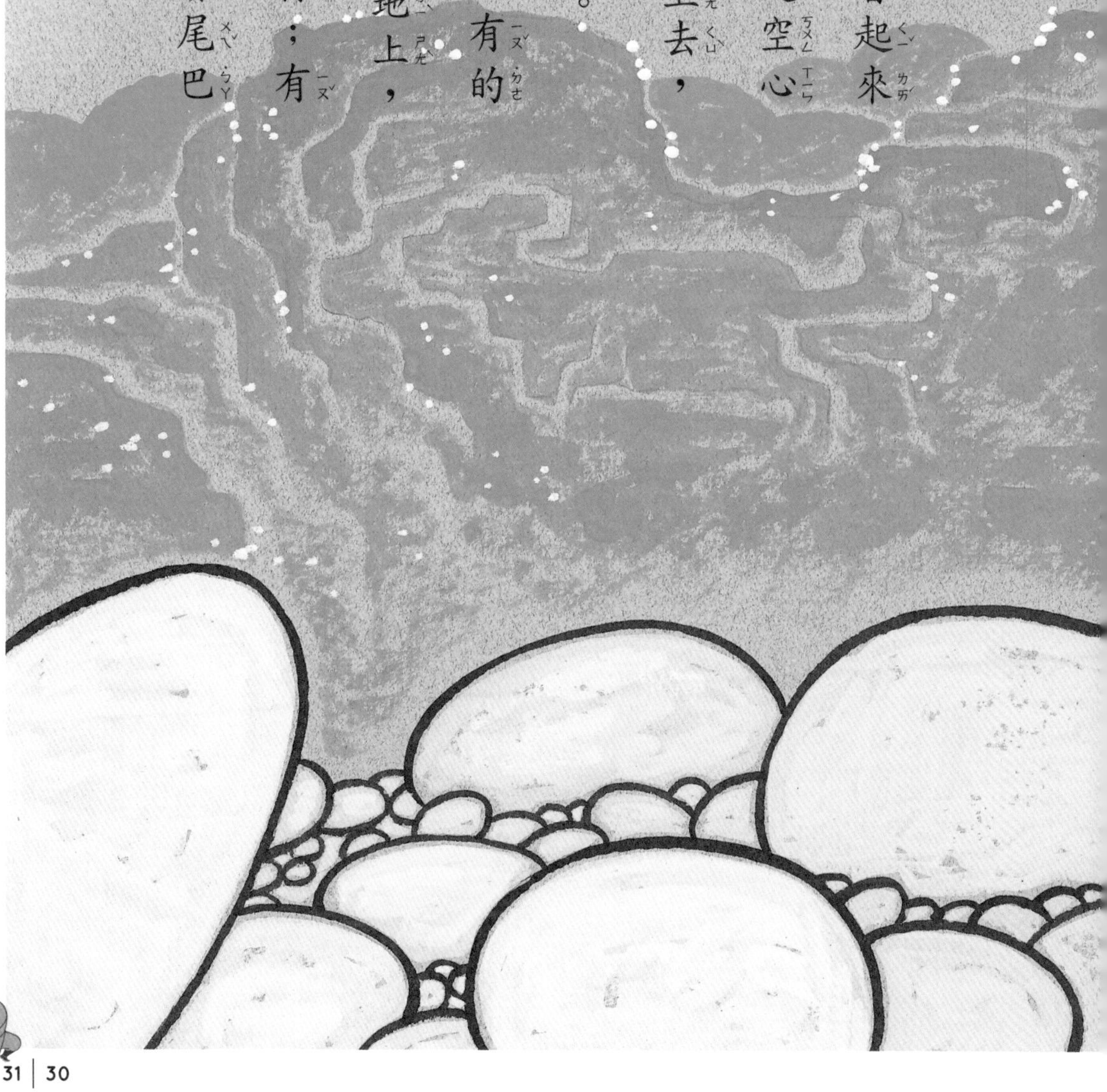

鬼眼松和不清柏，看起來和普通的松樹柏樹一樣，但走近一看，會發現松樹上竟然長著眼睛，

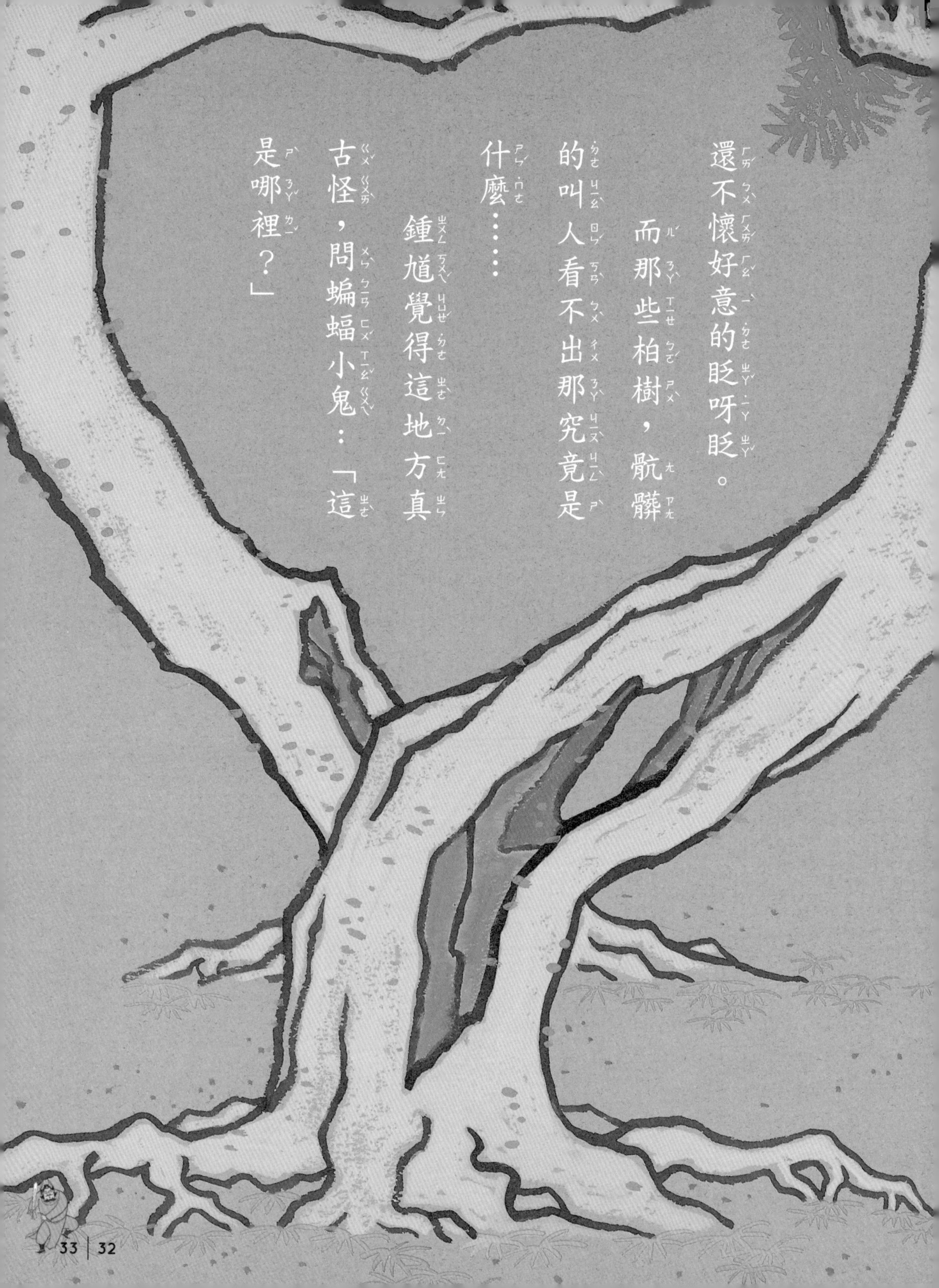

還不懷好意的眨呀眨。

而那些柏樹，骯髒的叫人看不出那究竟是什麼……

鍾馗覺得這地方真古怪，問蝙蝠小鬼：「這是哪裡？」

蝙蝠小鬼回答：「這條河叫『口水河』，對面的山是『無恥山』。這裡原來沒有這條河，後來有個厚臉皮大王住在無恥山中。他做了許多不知羞恥的壞事，讓人恨得咬牙切齒。每當人們從山下經過，總是忍不住吐口水罵他。日子久了，口水越積越多，就形成這條河。」

「河水看起來很深，其實很淺，老爺可以放心的走過去。對面的山也不難走，只是要小心點。山上有老爺想捉的鬼，他是搗亂鬼、纏人鬼和坑人鬼的首領。」

「原來如此，」鍾馗正氣凜然的下令，「好！我們去捉他！」

厚臉皮大王在無恥山的大寨裡，聽小鬼報告說鍾馗帶了兵馬要來捉他，立刻怒氣沖沖的戴上牛皮盔，穿好樺皮甲，提著兩刃刀，衝出寨門，對著鍾馗大吼：「你這個醜八怪！你殺了我的徒弟，居然還敢到我這裡來送死！」

「我怎麼不敢來？我是奉命來消滅你們這些鬼怪的！」鍾馗舉劍就砍，砍在厚臉皮大王的臉上。

沒想到，這一劍雖然砍中厚臉皮大王的臉，但是厚臉皮大王一點也不怕，臉上也毫無傷痕。

鍾馗大吃一驚，忍不住說：「你的臉還真硬！」

「謝謝你的誇獎。」厚臉皮大王得意的說，「不是我吹牛，隨你刀砍、箭射、腳踢，我的臉都不怕。」

「是嗎？」

大將負屈從鍾馗旁邊走出來，

「我不信！看我來射他幾箭！」負屈連射了好幾箭，厚臉皮大王的臉依然好好的。

這時鍾馗站在白澤的背上，再朝厚臉皮大王的臉上踢了有一百下。厚臉皮大王還是好端端的。

鍾馗踢著踢著，不知不覺的笑了：「真不知道你這臉是什麼做的，了不起！」

「是我自己做的。」厚臉皮大王說，「我先用鐵來鑄臉，又用布和漆包了好幾層，外面再貼上幾千層樺皮。世界上不可能有其他人的臉，比我的還結實了。」

鍾馗一聽，知道再打也沒有用，只好帶兵下山，跟含冤負屈商量對策。

「他不過就是仗著那副厚臉皮，」負屈說，「如果能弄到那張厚臉，一定可以打敗他。」

「這不難，」含冤說，「我們也照樣做一副厚臉跟他換。他個性貪婪，也許願意交換，我們不就有他的厚臉了？」

「不對，」鍾馗說，「他少了一副厚臉，又得到一副厚臉，這有什麼用？」

有良心的臉

「沒關係。」含冤解釋說，「我們做的這副厚臉，可以在裡面藏一顆良心。只要他肯換，戴上我們的厚臉，等良心一發動，這副厚臉就會變薄，我們不用跟他打，他就輸了。」

「好極了！」鍾馗說，「這個辦法不錯。」

於是他們做了一副厚臉，做得比厚臉皮大王的臉還結實，而且在裡面藏了一顆良心。

第二天，鍾馗戴著這副厚臉皮上山跟厚臉皮大王對打。他讓厚臉皮大王向臉上連砍幾刀，也是一點傷痕也沒有。

厚臉皮大王見鍾馗的臉比自己的還堅固，就下條件交換。鍾馗立刻把臉換給厚臉皮大王。

厚臉皮大王得到新的臉，心裡很高興，才戴上不久，良心一發動，他就羞得不敢見人，逃回寨裡了。

妖魔剋星 保平安

鍾馗除掉了厚臉皮大王之後，帶著含冤、負屈和三百名士兵，跟著蝙蝠小鬼繼續到各地去掃蕩妖魔鬼怪。

後來，閻王把這些事向玉皇大帝報告。玉皇大帝為了獎勵他們，封鍾馗做「翊正除邪雷霆驅魔帝君」，含冤做「天樞文德翼聖真君」，負屈做「天樞武德贊聖真君」。

地上的人們都聽說了鍾馗的事，又知道地上的妖魔鬼怪都怕他，所以，每到了傳說妖魔鬼怪會四處出沒的端午節時，就掛起鍾馗的畫像，希望他能掃除鬼怪，永遠保佑大家平安。

2

白蛇傳奇

馬景賢 | 文
徐建國 | 圖

盜仙草

仙山上，滿山滿谷都是奇奇怪怪的花草，隨著微風飄來一陣陣芳香，一旁的山澗嘩啦嘩啦的流著。

守山的白鶴童子坐在石墩上，伸伸懶腰，打了個呵欠，不知不覺的打起盹來。不久，他感覺好像有道白光在眼前閃動，睜開眼睛一看，天空飄著一朵一朵白雲，太陽並不

大，怎麼會有刺眼的強光呢？童子揉揉眼睛，納悶的朝四面八方看。

突然間又是一道白光和青光閃過眼前，童子馬上順著光線看過去——哇！原來是一條白蛇和一條青蛇，正盤住岩石間的一株

大靈芝草，用力的拔。

奇怪了？白鶴童子想，仙山上有不少仙蛇，但沒有得到允許，誰也不敢來拔靈芝草。於是他一個箭步衝上去，伸手想打死兩條蛇。

「住手！」南極仙翁剛巧外出拜訪朋友雲遊回來，在雲端上看到白鶴童子動手要打白蛇和青蛇，急忙大喊。

「師父，他們不知道是哪裡來的野蛇，想偷靈芝仙草哇！」白鶴

童子對南極仙翁解釋。

這時候，白蛇和青蛇已經化成了人形，急忙雙雙跪在地上，向南極仙翁行禮。

「白蛇，青蛇，你們為什麼要拔我山上的靈芝仙草？」南極仙翁慈祥的問。

現出原形

「為了……為了救許仙。」化成人的白娘娘說。

「許仙？許仙是誰？」

「是……是白娘娘的丈夫。」一旁的小青解釋。

「嗯——我明白了。白蛇，你不在山中好好修行，竟為了私情偷偷跑到鎮江府去胡鬧，這已經不應該，現在又害了許仙。」南極仙翁說，「要不是你喝了雄黃酒，現出原形，怎麼會把許仙嚇得昏迷呢！」

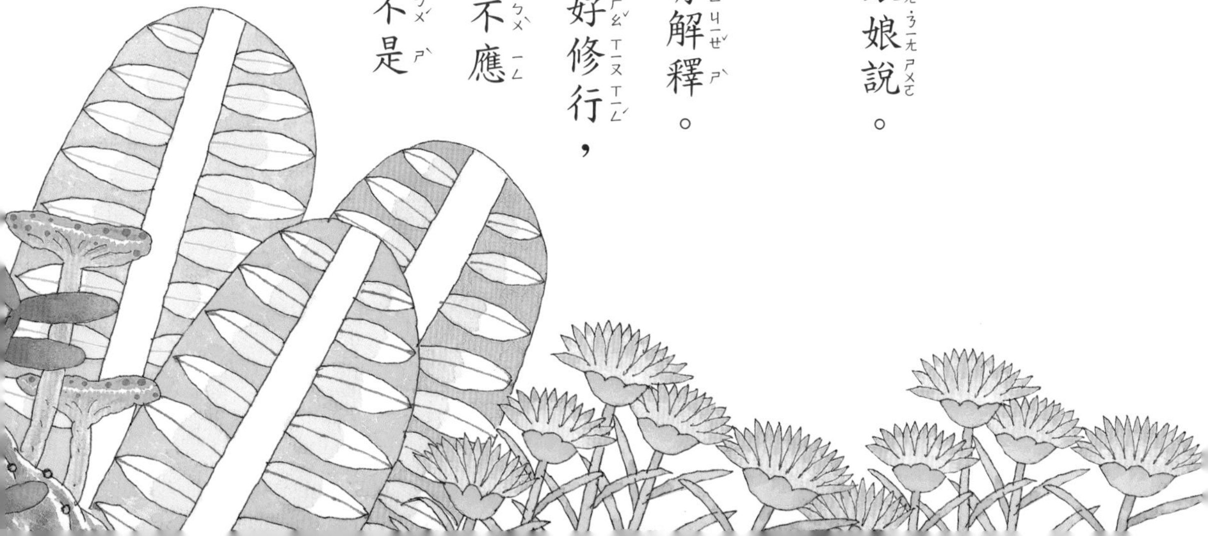

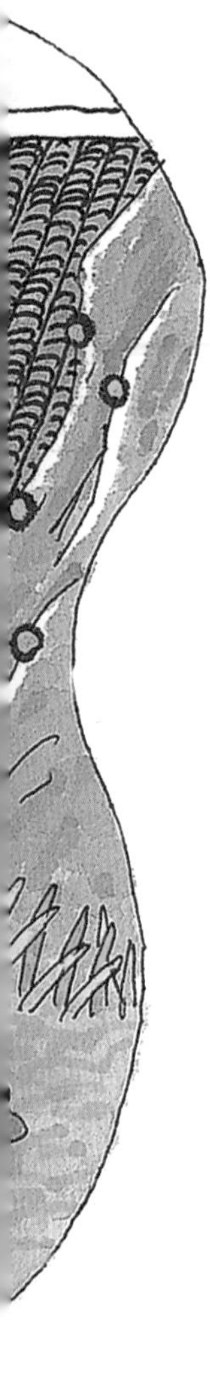

「是我不好……」白娘娘低著頭說。

「不，是我不應該散發病疫，讓鎮江府的老百姓生病遭殃。」小青說。

「不，是我太自私，為了要讓許仙的藥鋪生意更好，才想出這個主意。」白娘娘含著眼淚，後悔的說。

「唉！誰叫你們是夫妻！」南極仙翁嘆口氣，拿出一粒仙丹，說：「吃下這粒仙丹，許仙馬上就會醒來。你們以後不要再胡鬧了！」

白娘娘和小青謝過南極仙翁，立刻駕著白雲飛奔回家，餵許仙吃下仙丹。

一會兒，許仙就醒了。但是，許仙一看到床邊的白娘娘和小青，馬上跳下床往外跑。

「蛇！蛇！蛇來了——」許仙一邊跑，一邊叫。

「我是你的妻子呀！」白娘娘拉著

許仙說。

「不……不……你是蛇，你是蛇……救命啊！」許仙害怕的喊。

「娘娘怎麼會是蛇呢？我們家哪裡來的蛇？」小青假裝笑著說。

「不，不，不，端午節那天，我們喝雄黃酒的時候，我明明看到你們變成了一條白蛇和一條青蛇。」

「那是你喝醉了，看花了眼。」白娘娘安慰他。

「是呀，你喝了酒就昏迷不醒。要不是我們從金山寺求了仙丹給你吃，你現在還醒不過來呢！」小青插嘴。

許仙決定到金山寺去求證。白娘娘和小青怕金山寺的和尚拆穿她們的謊話，想要阻擋，但又怕許仙更起疑心，只好讓他去了。

消失的許仙

許仙去了好幾天都沒有回來，白娘娘心裡漸漸感到不安，於是帶著小青駕著小舟，直朝著金山寺而來。

金山寺建造在金山上，金山像一塊碧綠的大玉石，漂浮在白浪滾滾的水面上，遠遠望去好像整座山都在搖；山上的金山寺像條小紙船一樣，隨時會被搖落下來。

白娘娘和小青爬過幾千層的石階，穿過一道一道的山門，好不容易到了金山寺。

金山寺的住持叫法海。原來，法海是個有法力的和尚，他認為白娘娘是妖怪，許仙不應該跟她結婚，所以不讓許仙回家。

白娘娘和小青雖然來了，但法海不准他們相見。

白娘娘非常氣憤。她決定去找東海龍王，請龍王用大水

淹沒金山寺。

「娘娘，你……你……你忘了南極仙翁的話了嗎？我們不能一錯再錯了。」小青著急的說。

「錯？有什麼錯？」

「我們為了幫忙許仙的生意，故意散發流行病，已經讓老百姓受了很多苦。」

「我不管，我要報仇！」白娘娘不理小青的勸告，駕著輕風，直奔東海龍宮。

白娘娘在東海龍王面前悲傷的哭哭啼啼，說她的丈夫被法海關起來，不放他回家。卻完全不提

自己去偷拔靈芝仙草，也不提散發流行病的事。

東海龍王的心腸軟，很同情白娘娘，答應了她的請求，下令派東海裡的蝦兵蟹將，幫助白娘娘水淹金山寺。

金山寺裡的小和尚，正在打掃寺前的落葉，聽到一陣陣牛一樣的吼聲，由遠而近。他猛一抬頭往遠處一看，一隻小舟上撐著五彩的帆篷，船上坐著白娘娘和小青，後

面跟著無數的蝦兵蟹將，有的拿槍，有的拿叉；蛤蟆將軍扛著大旗在前方領路，章魚舞著百節鞭，泥鰍手執雙鋒劍，白鱔用力吹水往上漲，鯉魚不停的翻滾著白浪，七星烏龜在隊伍最後壓陣。

水漫金山寺

白浪滾滾，翻江倒海，水不停的往上漲，船也跟著往上漲，一轉眼，等小和尚稟告住持再出來時，大水已經淹到金山寺的廟門前了。

法海急忙脫下避水的袈裟，掛在大殿中央保護寺廟，又把紫金缽懸掛在寺門前，才阻擋住大水。

「白蛇，你竟敢水淹我的金山寺！」法海嚴厲的指著白娘娘說。

「你為什麼拆散我們夫妻？」白娘娘不甘示弱的回話。

這時蝦兵蟹將們搖旗吶喊，水勢更加洶湧，眼看大水就要灌進寺裡了，可是法海仍靜靜坐在懸掛著的紫金缽下面，緊緊閉著雙眼。接著一道彩虹似的金光，出現在金山寺上空。白娘娘用盡所有的法術，大水怎麼也衝不進金山寺，浪濤一撲到廟前就往後退。

觸怒王母娘娘

倒退的大水淹沒了整個鎮江府，又造成不少無辜老百姓的死傷，被大水淹得無家可歸的人哀號的聲音，驚動了天上的王母娘娘。

王母娘娘得知白蛇正在跟法海鬥法，立刻派來天兵天將、雷公和閃電娘娘。一時空中擠

滿了各方天神，帶著各種奇寶兵器，有的手執降魔杵，有的拿著打仙鞭，哮天犬跟在後面大叫，白鶴童子也跟在後頭看熱鬧。

所有天神布下了天羅地網，把白娘娘和小青團團圍住。她們自知無法逃了，於是相擁痛哭起來。

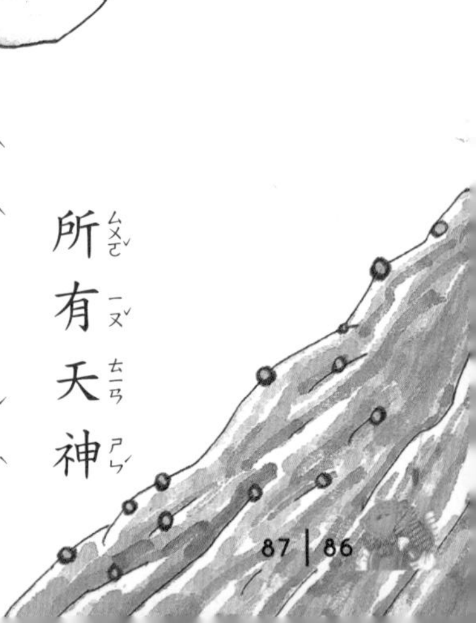

法海看到天神要把白娘娘和小青抓走，急忙對天神說：「請不要把她們帶走！」

「為什麼？」雷公發著隆隆的聲響問。

「白蛇雖然犯了大錯，可是她已經懷了孩子，等她生下孩子，我會將她囚禁在西湖的雷峰塔下。」

眾神答應了法海的請求，回到天宮。大水慢慢退去，陰暗的天空也放晴了。法海把所有的經過告訴許仙。

許仙深愛妻子，懇求法海原諒白娘娘。可是法海說：「不，她犯下大錯，為了自己，害死了很多無辜的老百姓，等她生下你的孩子之後，就會永遠被關在雷峰塔下。你回去吧！」

許仙還想再替白娘娘求情，卻突然颳起一陣大風，將他的身子懸空吹起。他嚇得閉上眼睛，等風停了，再睜開眼睛，許仙發覺自己已經站在山下的斷橋邊，白娘娘和小青就在眼前。

白娘娘和小青見到許仙，又高興又難過。小青說：「娘娘，我們只有丟下他，趕緊逃回山裡去，不然會被法海壓在雷峰塔下一輩子的。」

「不，我們不能一錯再錯。」

「那怎麼辦呢？」小青追問。

「我要跟許仙回去，等我把孩子生下來……」白娘娘說到一半，就嗚咽的說不下去了。

「娘子，我的娘子，我永遠不讓你離開。」許仙上前拉著妻子。

「你不怕我是一條白蛇了？」

「不怕，不怕了！」許仙搖著頭說。

永鎮雷峰塔

白娘娘跟許仙回到鎮江府的家中，每天照顧藥鋪的生意。不久，白娘娘為許仙生下一個白白胖胖的男孩，取名叫許士林。許仙正高興的時

候，忽然聽到門外傳來木魚聲。

「唉——」

白娘娘嘆了一口氣，愁眉不展的望著許仙。

「怎麼了，娘子？」

「我們的緣分已盡，你要好好照顧我們的孩子。」說著，夫妻倆抱在一起痛哭。

「白蛇，時間到了！」法海在門外喊。

「不……不要走，」許仙拉住白娘娘不放，卻抵不過紫金缽的魔力，他的妻子不由自主的一步一步朝著法海走去。

「好好照顧孩子，將來我們還有見面的機會。」

白娘娘說完就變成一條白蛇。法海把她

放在紫金缽裡，然後壓到西湖邊的雷峰塔底下。

從此，許仙獨自經營藥鋪，教養許士林，過著平靜的日子。

許士林長大後，知道母親被壓在雷峰塔下的事，就跟著父親許仙到雷峰塔去祭拜母親，並求天神原諒母親的過錯。他的孝思感動了天神，當他正在祭祀母親的時候，塔尖上升起了一縷

白煙，輕飄飄的往上升，天空出現了一個女人的影子。

許仙抬頭一看，是他的妻子，許士林也大聲喊著母親。

白娘娘微微的笑著向他們揮手，然後又慢慢消失不見了。

● 附錄 ●

認識二十四節氣

插畫 ● 九子

二十四節氣是怎麼來的？

古時候，還沒有發明鐘錶，人們都用「立竿見影」的方法來推估時間。古人每天記錄竿影長短和角度的變化，慢慢整理出天象的週期。二十四個節氣，主要是根據太陽光照射地球的角度而制定的。一年有四季，「立」表示一個季節的開始，「分」和「至」表示這個季節的中間。

〔春〕

立春、雨水、驚蟄、春分、清明、穀雨

〔夏〕

立夏、小滿、芒種、夏至、小暑、大暑

〔秋〕

立秋、處暑、白露、秋分、寒露、霜降

〔冬〕

立冬、小雪、大雪、冬至、小寒、大寒

二十四節氣圖表

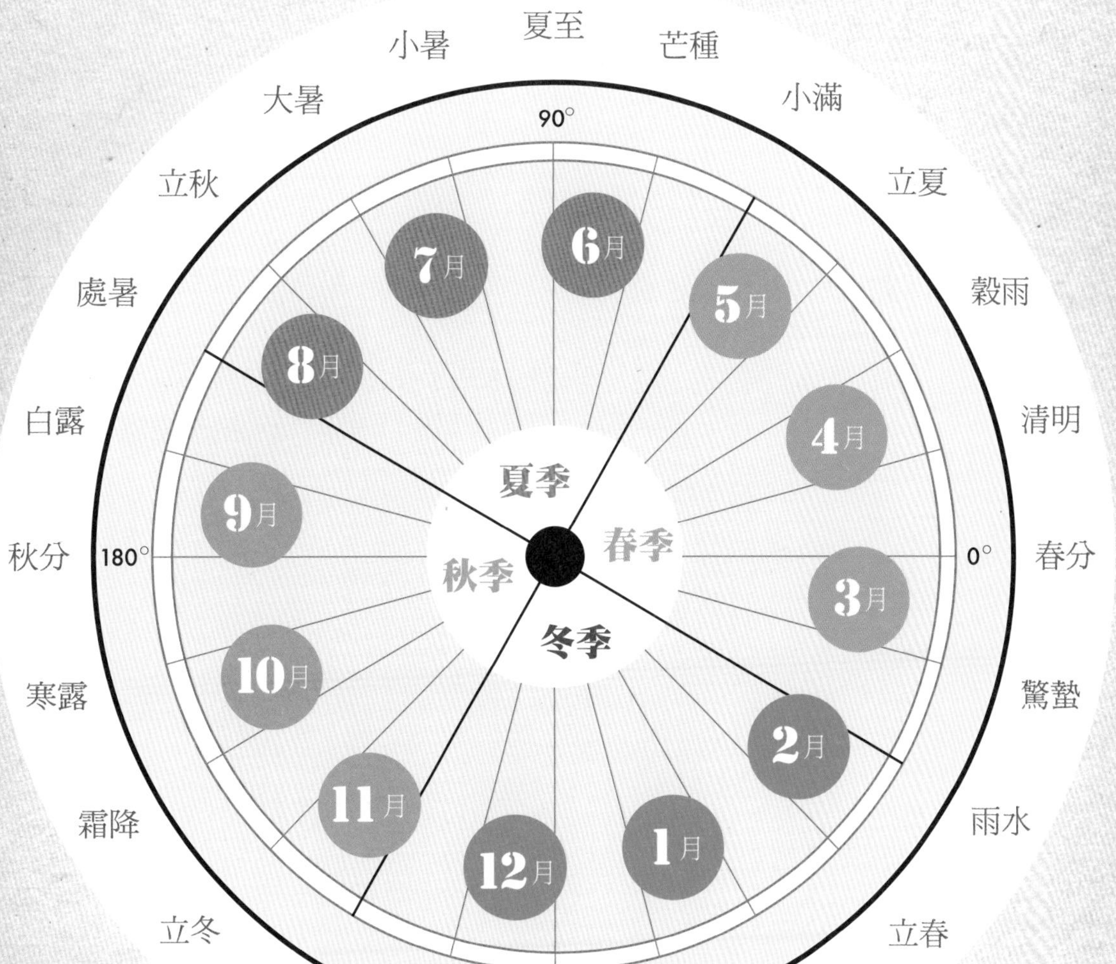

夏至
芒種
小滿
立夏
穀雨
清明
春分
驚蟄
雨水
立春
大寒
小寒
冬至
大雪
小雪
立冬
霜降
寒露
秋分
白露
處暑
立秋
大暑
小暑
90°
0°
270°
180°
夏季
春季
冬季
秋季
1月
2月
3月
4月
5月
6月
7月
8月
9月
10月
11月
12月

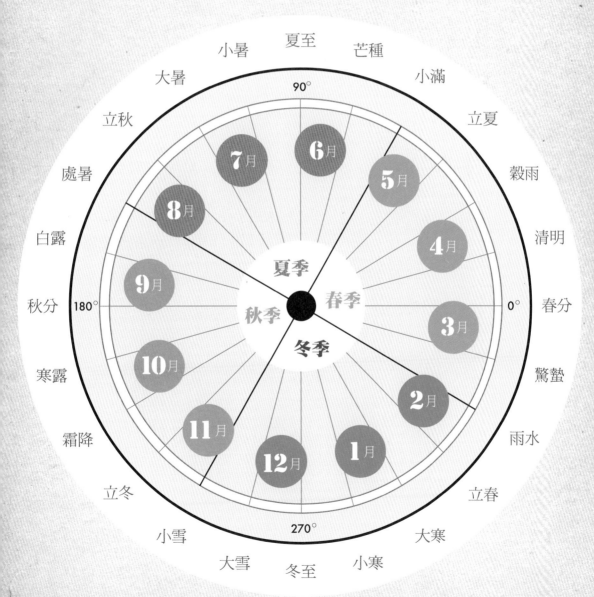

節氣名稱	時間（國曆）	節氣涵義	代表食物	重要節日
立春	1月20、21日至2月4、5日	二十四節氣之首，表示春天到了。	茼蒿、山藥、柑橘	立春前後為農曆春節
雨水	2月4、5日至2月18、19日	冰雪融化，水氣增加，容易下雨。	甘蔗、柑橘、鯖魚	農曆1月15日元宵節
驚蟄	2月18、19日至3月5、6日	春雷一響，大地恢復了生機。	桑椹、草莓、竹筍	
春分	3月5、6日至3月20、21日	春天過了一半，白天和夜晚一樣長。	春茶、海梨、鱸魚	國曆3月12日植樹節
清明	3月20、21日至4月4、5日	天氣暖和，大地清新明朗。	芋頭、鰹魚	國曆4月5日或前後為民族掃墓節。
穀雨	4月4、5日至4月20、21日	春耕秧苗，雨水滋潤。	桂竹筍、蘆筍、棗子、桃子、李子	農曆3月23日「迎媽祖」

節氣名稱	時間（國曆）	節氣涵義	代表食物	重要節日
立夏	4月20、21日至5月5、6日	「立」是開始，「夏」是大的意思。代表春天播種、種植的作物長大了。	一期水稻、高粱、櫻桃、黑鮪魚	國曆5月第二個星期日母親節
小滿	5月5、6日至5月21、22日	穀麥慢慢結穗，但是還沒完全飽滿。	香蕉、黑鯧	農曆4月8日浴佛節
芒種	5月21、22日至6月5、6日	稻麥吐穗結實，長出細芒。	西瓜、鳳梨、水蜜桃、龍眼、荔枝	農曆5月5日端午節
夏至	6月5、6日至6月21、22日	夏天正式展開，是一年中日照最長的一天。	芒果、虱目魚	畢業典禮、暑假
小暑	6月21、22日至7月7、8日	天氣已經很炎熱，但還不到最熱的時候。	酪梨、百香果、九孔、紅魽	白河鎮蓮花節
大暑	7月7、8日至7月23、24日	一年中天氣最熱的時候。	鳳梨、苦瓜、魷魚、小卷	農曆6月15日半年節

節氣名稱	時間（國曆）	節氣涵義	代表食物	重要節日
立秋	7月23、24日至8月7、8日	表示秋天就要來了，不過天氣依然十分炎熱。	龍眼、烏賊、蝦	農曆7月1日「鬼門開」
處暑	8月7、8日至8月23、24日	「處」是止的意思，表示暑氣到此為止。	梨子、綠竹筍、菱角、蓮子	國曆8月8日父親節 農曆7月中元、七夕
白露	8月23、24日至9月7、8日	天氣漸漸轉涼，夜晚水氣重，凝結為露珠。	二期水稻、文旦、筊白筍	農曆8月15日中秋節
秋分	9月7、8日至9月23、24日	秋天過了一半，天氣開始慢慢變涼	沙魚、旗魚、蝦、紅柿	國曆9月28日教師節
寒露	9月23、24日至10月8、9日	進入深秋，霧和露水令人感覺寒意。	菊花、白帶魚、大閘蟹	農曆9月9日重陽節
霜降	10月8、9日至10月23、24日	秋季的最後一個節氣。水蒸汽遇冷結霜。	大白柚、蘿蔔、柿餅	雙十國慶日

節氣名稱	時間（國曆）	節氣涵義	代表食物	重要節日
立冬	10月23、24日至11月7、8日	冬天來臨，農作物收成，有些動物開始進入冬眠。	柑橘、玉米	進入「立冬」以後，在臺灣有「補冬」的習俗。
小雪	11月7、8日至11月22、23日	氣候寒冷，水氣凝結為雪。	旗魚、沙魚、沙崙小西瓜	賽夏族矮靈祭
大雪	11月22、23日至12月7、8日	氣候更冷，有些高山開始下雪。	落花生、菊花田	
冬至	12月7、8日至12月21、22日	嚴冬來臨，農人休養生息。	烏魚	冬至
小寒	12月21、22日至1月5、6日	天氣漸寒，但還沒到最冷的時節。	冬筍、包心菜、洛神花、鰻魚苗	國曆12月25日耶誕節 國曆1月1日元旦
大寒	1月5、6日至1月20、21日	二十四節氣的最後一個節氣，也是一年中最為酷寒的一天	高粱、柳丁、草莓	農曆12月8日臘八節 農曆12月16日尾牙

作家＆插畫家

作家介紹

authors

馬景賢

1933年生，河北良鄉人，國立臺灣師範大學國文系畢業。曾任國語日報董事、海峽兩岸兒童文學學會理事長。編有《兒童文學論著索引》，主編過國語日報「兒童文學周刊」，翻譯有《天鵝的喇叭》《山難歷險記》等。改寫有《三隻小紅狐狸》等，創作有《國王的長壽線》《小白鴿》《念兒歌學國字》等，以《小英雄與老郵差》一書獲得國家文學獎。

張劍鳴

筆名安珂、丘陵。河北省安國縣人，1926年生、1996年逝，熱愛攝影、登山，以及兒童文學。以「用牛刀殺雞」的嚴謹態度從事兒童文學編、寫、譯。大力引介並翻譯歐美的兒童文學經典名著，以及兒童文學基礎觀念的文章，並曾在國語日報周日版主編「兒童文學周刊」。譯著作品近百餘冊，膾炙人口《柳林中的風聲》《怒海餘生》《小探長探案叢書》等譯作，至今仍經常為人提及，念念不忘。

illustrators

插畫家介紹

徐建國

1965年生，臺灣省新竹人。復興美工畢業。喜歡畫畫，喜歡旅行，喜歡做夢。喜歡捉昆蟲，喜歡思考，不喜歡囉嗦。

洪義男

1944年生於臺北市大龍峒孔廟邊，曾獲漫畫金像獎終身成就獎、金鼎獎、中華幼兒金書獎等。作品有《西遊記》《雅美族的飛魚季》《水筆仔》《女兒泉》《西遊記》等數十本之多，成績斐然，40年來未曾停筆創作。2011年逝，終生優游在漫畫和插畫之中。

節日故事 端午

鍾馗捉鬼

作者｜張劍鳴 ・ 馬景賢
繪者｜洪義男 ・ 徐建國
專家導讀｜李豐楙

董事長｜林昭賢
社長｜張學喜
出版部總編輯｜黃莉貞
行銷經理｜華韻雯
責任編輯｜楊于璇
美術設計｜讀力設計

出版者｜財團法人國語日報社
地址｜臺北市福州街 2 號
訂購電話｜ (02)2392-1133 轉 1888
郵撥帳號｜ 00007595（戶名：國語日報社）
網路書局｜ www.mdnkids.com/ebook
書店門市｜臺北市福州街 2 號 1 樓
門市專線｜（02）23921133 轉 1108
Facebook｜國語日報好書世界
製版印刷｜漾格科技股份有限公司
定價｜新臺幣 230 元
出版日期｜ 2012 年 12 月一版
再版日期｜ 2015 年 4 月一版 5 刷

鍾馗捉鬼 / 馬景賢 , 張劍鳴作 ; 徐建國 , 洪義男繪 .
-- 一版 . -- 臺北市 : 國語日報 , 2012.12
面 ; 公分（節日故事 . 端午）
ISBN 978-957-751-670-1(平裝)

538.59 101023243

節日故事系列

我們有許多可愛的節日，
過節的時候不但要舉行儀式和活動，
還有許多古老美麗的故事值得一聽再聽——

POINT. 1

兒童文學作家＋圖畫書作家
聯手打造 · 最好看的節日故事集！

POINT. 2

政治大學宗教研究所　李豐楙教授
專文解說 · 節日的由來與民間習俗

年節 . **年獸阿儺**

元宵 . **元宵姑娘**

清明 . **媽祖林默娘**

端午 . **鍾馗捉鬼**

七夕 . **牛郎織女**

中元 . **目連救母**

中秋 . **月餅裡的祕密**

冬至 . **火頭僧阿二**

林　良 · 管家琪等／文　洪義男 · 曹俊彥等／圖

每冊收錄兩則不可不知的節日故事
特別收錄二十四節氣由來 · 涵義 · 代表食物 · 重要節日
全系列八冊　·　每冊定價 230 元

冰